↗ L'ange gardien

Editions Maison des Langues, Paris

Collection
« Alex Leroc, journaliste »

Auteur
Christian Lause

Édition
Agustín Garmendia et Eulàlia Mata

Conception graphique et couverture
Cay Bertholdt

Illustrations
Javier Andrada

Enregistrements
Voix : Christian Renaud
Coordination des enregistrements : Mireille Bloyet
Studio d'enregistrement : CYO Studios

Remerciements
À Carine Bossuyt pour son aide et ses conseils.

ISBN : 978-84-8443-398-9
Dépôt légal : B-07848-2013
Réimpression : février 2016

Imprimé dans l'UE

www.emdl.fr

L'ange gardien

Christian
Lause

collection
Alex Leroc,
journaliste

Alex Leroc est journaliste, il travaille pour *L'Avis*, un magazine belge. Le magazine s'intéresse principalement aux gens célèbres. Il enquête aussi sur les scandales qui choquent la société. Alex est français mais vit à Bruxelles où se trouvent les bureaux du magazine. Il se déplace très souvent en France.

Dans cette histoire, vous allez rencontrer :

Alex Leroc. Un journaliste qui vit uniquement pour son travail. Il a une conviction et il la répète tout le temps : «Le monde est intéressant quand on lui pose des questions. » Il est toujours en retard, il est toujours stressé.

Jacky. Photographe de presse et collègue d'Alex. Pour être en pleine forme physiquement, il passe beaucoup de temps dans une salle de gym. Il manque de confiance en lui et il tombe amoureux de toutes les femmes qu'il rencontre. Enfin, il est souvent jaloux d'Alex.

Nina. L'autre collègue d'Alex, jeune femme intelligente, experte en art. Elle pratique le *kick boxing* mais elle compte surtout sur son intuition pour résoudre les affaires délicates.

Pierre Dulac. Le patron de *L'Avis*. Il est un peu autoritaire et très impatient.

Martine et **Pierre.** La sœur d'Alex et son fiancé.

Hélène. Professeur d'anglais à Perpignan.

Jeudi 24 avril

Je suis dans l'agence de voyages Tryptic, à Bruxelles :

— Écoutez, il y a sûrement une solution, ma sœur se marie le 2 mai à Perpignan[1]. Vous devez me trouver un avion !

— Désolé, monsieur Leroc, mais c'est trop tard : impossible de vous trouver un vol pour Perpignan le 1er mai. C'est un jeudi et le vendredi, tout le monde fait le pont[2] : beaucoup de gens voyagent. Vous ne pouvez pas y aller en voiture ?

— Je n'ai pas de voiture, ici à Bruxelles, je me déplace à moto. En plus, je déteste les longs voyages en voiture. Et le TGV[3] ?

— C'est pareil, tout est réservé depuis longtemps.

— Et un avion le mercredi soir, le 30 avril ?

— Non, le seul vol avec des places libres, c'est le mercredi matin, à 6 heures.

— À 6 heures ? Il y a des gens qui se réveillent à 4 heures pour prendre l'avion ?

— C'est l'unique solution, et encore, il faut prendre l'avion à Charleroi[4] et atterrir à Gérone[5], en Espagne. Après vous devez louer une voiture pour aller jusqu'à Perpignan, mais ce n'est pas loin, c'est juste à côté de la frontière, à moins de 100 kilomètres, c'est-à-dire à moins d'une heure de route.

— Bon, d'accord, si c'est la seule solution.

— Je vous fais la réservation ?

[1] Petite ville méditerranéenne, proche de la frontière franco-espagnole.
[2] Prendre un jour de congé (vacances) entre deux jours fériés.
[3] Train à Grande Vitesse.
[4] Ville wallonne située au sud de Bruxelles.
[5] Ville catalane, en Espagne. Elle n'est pas loin de la frontière franco-espagnole.

— Attendez, je dois appeler mon patron.

Il faut que je me lève tôt, c'est horrible ! En plus, je suis obligé de demander un jour de congé[6] supplémentaire à monsieur Dulac, mon patron à *L'Avis*. Et je déteste lui demander une faveur. Je prends mon téléphone portable et j'appelle le magazine.

— *L'Avis*, bonjour !
— Allô, Mélanie ? C'est moi, Alex. Je voudrais parler à monsieur Dulac. Il est de bonne humeur aujourd'hui ?
— Tu sais, le patron est comme d'habitude, de mauvaise humeur. Pourquoi ? Tu as une faveur à lui demander ?
— Oui, malheureusement, il faut qu'il me donne un jour de congé.
— Bon, je te le passe, bonne chance !
— Allo, monsieur Dulac ?
— Lui-même[7]. Qui est à l'appareil[8] ?
— Alex Leroc, j'ai un problème...
— Ça m'étonne pas ! Eh bien, je vous écoute.
— Voilà, ma sœur se marie le 2 mai...
— Félicitations ! Et c'est ça votre problème ?
— Non mais elle se marie à Perpignan. Je dois absolument y aller ! Je voudrais prendre un avion ce jour-là mais c'est impossible. C'est un long week-end et beaucoup de gens font le pont.
— Oui, et alors ?
— La seule option c'est de prendre l'avion le mercredi 30 avril à 6 h du matin. Je suis obligé de prendre un jour de congé supplémentaire. C'est... c'est possible ?

---

[6] Un jour de **congé** est un jour où on ne travaille pas, mais ce n'est pas nécessairement un jour de vacances. Exemples : un papa qui prend un jour de congé pour la naissance de son bébé, quelqu'un qui change de logement, etc.

[7] Formule élégante au téléphone.

[8] Autre formule au téléphone.

— Décidément vous êtes le champion de l'organisation, Alex ! Vous réservez maintenant un billet d'avion pour le week-end du 1er mai ?

— Je n'ai pas pensé que...

— Vous ne pensez à rien, monsieur Leroc ! Écoutez, prenez un jour de congé supplémentaire. Ça ne me plaît pas, mais est-ce que j'ai le choix ? Vous savez que Nina et Jacky vont être sur la côte méditerranéenne en même temps que vous ? Mais ils vont travailler, eux !

— Oui, je sais, pour le gala de la Croix Rouge à Monaco. Toutes les occasions de photographier la Princesse sont bonnes, hein.

— Exactement, les lecteurs de L'Avis veulent voir ça, ne l'oubliez pas, Alex : des stars du cinéma et de la chanson, des princes et des princesses !

— Nous avons rendez-vous, Nina, Jacky et moi, à Perpignan le 2 mai, monsieur Dulac, ensuite nous pouvons revenir ensemble à Bruxelles. Nous serons là le lundi 5 mai à 9 heures.

— Evidemment que vous serez là, on a une réunion à 9 heures précises.

Il raccroche et je reste seul à parler :

— Encore merci, monsieur Dulac, merci mille fois, hein, monsieur Dulac, vous êtes trop gentil, monsieur Dulac...

L'employée de l'agence me regarde bizarrement, elle ne comprend pas. Je lui confirme que j'accepte sa formule :

— C'est d'accord. Je pars le 30 avril à 6 heures. Vous pouvez me réserver une voiture à Gérone ? Et je reviens en Belgique le 5 avec le premier avion, celui qui arrive ici à 8 heures.

Mercredi 30 avril

Il est 9 heures du matin. Il fait très beau. Ce n'est pas comme à Bruxelles, où il pleut deux cent dix-sept jours par an. Je suis déjà à Perpignan mais c'est trop tôt pour aller chez ma sœur. Elle est comme moi, elle déteste se lever tôt. Je gare la voiture et j'entre dans une boulangerie qui est en même temps un salon de dégustation : j'ai envie d'un café crème[9] et de croissants, de bons croissants tout chauds, alors je m'installe à une table. Une dame est en train de parler avec la boulangère et la conversation est animée.

— C'est la troisième fois que ça se passe à Perpignan, vous pouvez imaginer ça ? À notre époque ?

— C'est incroyable, on pense que ça arrive seulement dans les films, eh bien non ! Vous avez plus d'informations ?

— Je sais qu'il y avait trois jeunes délinquants et qu'ils ont tenté de voler de l'argent à un employé municipal. C'est un homme qui va récupérer de l'argent des distributeurs automatiques de boissons, de chocolats... Ils l'ont menacé à la sortie de la piscine municipale. L'ange gardien est arrivé, il était masqué ; les voyous[10] ont essayé de l'attaquer mais ils ont vite compris qu'ils n'avaient aucune chance contre lui et ils sont partis en courant.

— L'ange gardien, je me demande vraiment qui c'est ?

— Oui, moi aussi !

La conversation des deux dames m'intéresse. Je suis journaliste et ce genre d'information attire naturellement ma curiosité.

---

[9] C'est un café avec beaucoup de lait. On peut aussi demander un « café », servi sans lait, ou encore un « noisette » si on veut seulement un peu de lait.

[10] Familier : délinquants.

— Excusez-moi, mesdames, est-ce que je vous comprends bien ? Vous dites qu'il y a un justicier masqué qui intervient pour défendre la population, ici, à Perpignan ?

— C'est exact, répond la boulangère, c'est la troisième fois qu'un habitant de Perpignan est sauvé grâce à l'intervention d'un héros qu'on commence à appeler l'« ange gardien ».

— Oui, ajoute la cliente, on se demande comment l'ange gardien peut arriver au bon moment ? C'est un mystère, c'est de la magie !

Après un bon café crème et deux délicieux croissants, je commence à me sentir en forme. Je voudrais acheter des fleurs pour ma sœur et j'entre chez une fleuriste. Pendant qu'elle me fait un beau bouquet, je lui demande son opinion sur le justicier.

— J'ai entendu parler de l'ange gardien de Perpignan, vous croyez que c'est vrai, cette histoire ?

— Oui, mais je ne peux pas vous donner plus d'informations. Je ne sais rien de plus que vous. C'est une sensation agréable d'imaginer que nous avons un protecteur mystérieux, vous ne trouvez pas ? Moi, je trouve ça très poétique.

À 11 heures, je sonne chez ma sœur et j'ai à peine le temps de l'embrasser. On n'a pas le temps de parler. Elle a beaucoup d'affaires pratiques à régler avant le mariage, je préfère ne pas rester là. La fête de mariage a lieu après-demain, mais demain, c'est le 1er mai et tout est fermé, il faut tout acheter aujourd'hui. Comme elle n'a pas besoin de moi, je décide de me promener dans la ville.

Il y a une petite place tranquille et un chaud soleil de printemps : ce sont les conditions idéales pour s'asseoir à la terrasse d'un bar et prendre l'apéritif[11]. Je m'assieds et j'essaie de lire le journal. Mais je ne peux pas me concentrer : l'ange gardien occupe mon esprit et je me décide à interroger le patron du bar :

— Dites-moi, je viens d'arriver à Perpignan et j'ai entendu parler d'un mystérieux ange gardien, est-ce que vous savez quelque chose ? Par exemple, est-ce que vous avez des détails sur sa première apparition ?

— Ouais, la première fois, un de mes clients a tout vu. Ça s'est passé devant le centre sportif. Les voyous ont menacé un jeune homme pour lui prendre sa veste en cuir. L'Ange est arrivé et il les a fait partir. Pourtant, ils avaient un couteau.

— L'Ange était armé lui aussi ?

— Non mais il fait du karaté ou quelque chose comme ça !

— Ça s'est passé quand ?

— Samedi dernier.

— Et la police, les autorités, la presse ? Personne ne s'intéresse à ces histoires ?

— Je ne sais pas. Mais, pourquoi est-ce que vous me posez toutes ces questions ? Vous êtes journaliste ?

— Oui.

— Oh, alors je ne dis plus rien, hein ! Nous, on espère que l'Ange n'aura pas de problèmes.

— Des problèmes, pourquoi ?

— Je ne sais pas, moi.

Finie, la conversation. Le patron du bar refuse de répondre à mes questions, il s'imagine probablement que je représente un danger pour le justicier. Il veut que l'ange gardien conserve son anonymat. Je ne veux pas lui causer de problèmes, moi. Mais c'est vrai que c'est un bon sujet de reportage.

---

[11] Boisson à base de vin ou d'autres alcools que l'on prend avant le repas. « Prendre l'apéro » est une coutume très courante en France.

Je suis en congé, je suis ici pour une fête de famille, mais la vie continue, « *L'Avis* continue », comme dit monsieur Dulac.

Je quitte le bar et je vais manger dans un petit restaurant de la vieille ville, près du vieux marché. À la fin du repas, je me rappelle que je dois trouver un hôtel pour après-demain, quand Nina et Jacky arriveront. Je demande au serveur du restaurant s'il connaît une bonne adresse dans le centre :

— Excusez-moi, je cherche un petit hôtel dans le centre ville, pas trop cher mais confortable. Vous pouvez me conseiller ?

— Ah oui, justement, il y a un hôtel qui a une très bonne réputation, l'hôtel d'Aragon, il est très bien situé, près de la rivière. Vous voulez que je vous indique comment on y arrive ?

— C'est très gentil ! Volontiers !

— Eh bien, quand vous sortez du restaurant, vous allez à droite, vous prenez la première rue à gauche. Vous traversez une grande rue, c'est un boulevard, vous continuez tout droit. Vous arrivez à une place et sur la droite, il y a une toute petite rue qui va vers la rivière. C'est là que se trouve l'hôtel d'Aragon.

— Je vous remercie. Vous êtes très aimable.

Je trouve l'hôtel très facilement, grâce aux indications du serveur. Il est vraiment bien situé, avec une belle vue sur la rivière. J'espère qu'il y a trois chambres disponibles pour vendredi.

— Bonjour monsieur.

— Bonjour. Je veux réserver trois chambres simples pour vendredi.

— Vous avez de la chance. Je viens de recevoir un fax d'un client qui annule une réservation de deux chambres et comme il me reste une chambre, au total ça fait trois : j'ai trois chambres pour vous. Vous restez combien de nuits ?

— Trois nuits. Nous repartons lundi matin, très tôt.

— Je peux avoir votre nom ?

— Alex Leroc.

— Votre adresse ?

— Rue du Bailly, n° 15, à Bruxelles.

— Quoi, vous êtes belge ?

— Non, je suis français, mais j'habite en Belgique[12].

— Ah ! Alors vous connaissez peut-être ma sœur ! Elle s'appelle Catherine Pujol. Elle travaille à l'hôtel Hilton de Bruxelles.

— Ben[13] non, vous savez il y a un million d'habitants à Bruxelles. C'est vrai que je travaille pour un magazine et que je connais beaucoup de monde, mais pas tout le monde...

— Vous travaillez pour quel magazine ?

— *L'Avis*.

— Quoi ? Le magazine *L'Avis* ? Vraiment ?

— Ben oui, pourquoi ?

— Je lis tous vos reportages toutes les semaines, monsieur Leroc. C'est un honneur pour moi de vous accueillir dans mon hôtel. Pour fêter ça, je vous offre un café.

— Merci. Et pour la réservation des chambres, c'est bon ?

— Bien sûr ! Mais, dites-moi, est-ce que vous êtes ici pour l'ange gardien ?

— Non, pas vraiment. Je suis ici pour le mariage de ma sœur. Mais je dois dire que cette histoire d'ange gardien commence à m'intéresser beaucoup.

— Justement, la voisine de mon père a assisté à la première apparition de l'Ange. Elle parle de lui tout le temps. Elle dit qu'il est

---

[12] Il y a 180.000 Français expatriés en Belgique, principalement dans la région bruxelloise.

[13] Familier : bien. Souvent utilisé en début de phrase, pour avoir le temps de penser à ce qu'on va dire.

tombé du ciel, qu'il était masqué et qu'il portait une cape, que c'était fantastique, comme une peinture de Dali[14].

— C'est extraordinaire, en effet. Un justicier qui sait où on a besoin de lui ! Bon, eh bien, au revoir. Je reviens vendredi avec mes amis. Encore merci pour le café !

Je me promène encore un peu dans la ville puis je vais dîner[15] chez ma sœur.

Tout le monde est très nerveux chez Martine ce soir : mes parents sont là aussi, et ils donnent plein de conseils pour le mariage. Je vois que Martine et Pierre, mon futur beau-frère, commencent à s'énerver et je détourne la conversation sur l'ange gardien. Pierre est médecin psychiatre à Perpignan et son opinion m'intéresse.

— Pierre, que penses-tu du justicier masqué de Perpignan ? C'est sérieux ou non ?
— J'sais pas[16]. Moi j'ai l'impression que c'est une simple rumeur qui se transforme en hallucination collective.
— La délinquance, c'est un gros problème ici ?
— Pas vraiment, ce n'est pas très grave mais il y a des bandes de jeunes délinquants comme dans toutes les villes. On ne peut pas mettre un policier derrière chaque habitant.

---

14 Salvador Dali est un peintre surréaliste espagnol qui connaissait Perpignan et qui a vécu de nombreuses années à Cadaquès, en Catalogne, très près de la frontière française.

15 Trois repas en France : le petit-déjeuner (le matin), le déjeuner (à midi) et le dîner (le soir). En Belgique : le petit-déjeuner (le matin), le dîner (le midi) et le souper (le soir).

16 En français oral, le **ne** de la forme négative est souvent absent. **J'sais pas** est une forme relaxée et familière de « je ne sais pas ».

— L'ange gardien, lui, semble très efficace...

— Tu lis trop de bandes dessinées[17]. C'est parce que tu travailles en Belgique[18] ?

— Je le trouve très sympathique, votre justicier.

— Voyons, Alex, quel âge as-tu !

Décidément, tout le monde est nerveux. En fait, je crois que le mariage de ma sœur n'est pas un bon moment pour les conversations de famille.

— OK, OK.

Après le dîner, je sors pour aller prendre un dernier café. Il est tard. Je marche depuis dix minutes quand je vois un groupe de personnes rassemblées à côté du centre commercial. Je m'approche et j'entends qu'on parle de l'ange gardien. Je me dirige vers une des personnes présentes :

— Qu'est-ce qui s'est passé ? Vous avez vu l'Ange ?

— C'est ce monsieur, il est vraiment impressionné : il n'arrête pas de dire la même chose « C'est incroyable, c'est incroyable ! »

— Mais qu'est-ce qui s'est passé ?

— Il y a dix minutes, l'ange gardien est arrivé encore une fois juste au bon moment.

— Racontez-moi !

— Ce monsieur, là, c'est un client du centre commercial, il a terminé ses achats puis il est allé vers sa voiture dans le parking et

---

[17] Suite de dessins (illustrations) qui racontent une seule histoire. Familièrement on dit B.D.

[18] De nombreux auteurs de bandes dessinées sont belges, le créateur de Tintin, Hergé, est le plus célèbre.

quand il a ouvert la porte de sa voiture, les voyous l'ont menacé avec un couteau pour lui voler sa BMW. À ce moment-là, l'ange gardien est arrivé et il les a fait partir en quelques secondes. Le propriétaire de la voiture a essayé de lui parler, il lui a dit merci, mais l'Ange est parti sans répondre.

Je m'approche de l'homme à la BMW :

— Ça s'est passé où exactement ?
— Ici, dans ce parking, au sous-sol. C'est incroyable ! La police doit arriver bientôt, j'ai téléphoné immédiatement.
— Vous pouvez me décrire l'Ange, physiquement ?
— Non, impossible, il avait un masque.
— Quel style de masque ?
— En plastique, rigide et de couleur jaune, il couvrait tout le visage.
— Dites-moi, est-ce que vous avez observé quelque chose de spécial ?
— Non, rien de spécial. Ah, si ! je crois qu'il avait un problème avec son masque quand il est parti. C'est incroyable !

Je descends à pied, rapidement, par l'escalier. Je regarde partout, je cherche quelque chose mais je ne sais pas quoi. J'ai la chance d'être le premier sur le lieu de l'agression. Je regarde dans les poubelles, derrière les voitures garées. Je cherche partout un objet, une piste. Je sors du parking, je marche cinquante mètres et là, j'ai de la chance : dans une des poubelles à l'extérieur du centre commercial, je trouve un masque ; il est jaune et en plastique dur : c'est le masque de l'ange gardien ! Personnellement, je trouve que le masque de Zorro est plus élégant mais je suis très content. Je parlerai seulement de ma découverte à Nina et Jacky, mes collègues du magazine. Ils arrivent demain soir à Perpignan.

Jeudi 1er mai

En théorie, j'ai quelques jours de vacances ici à Perpignan, mais dans la pratique, ça fait longtemps que je ne sais plus où est la frontière entre le travail et le temps libre. Pour nous, les journalistes, notre travail, c'est toute notre vie !

Aujourd'hui, j'ai l'impression que Pierre, mon futur beau-frère, a décidé d'être plus aimable avec moi.

— Alex, tu veux des informations sur la délinquance, eh bien, je vais te présenter aujourd'hui une femme qui est professeur[19] dans un lycée[20] à Perpignan, un lycée « problématique ».

— Oui, enfin, je m'intéresse à la délinquance, seulement à cause de l'Ange. Les lycées problématiques, tu sais...

— Tu vas voir, c'est une de mes meilleures amies. En plus, elle est très jolie...

— Je vous connais : vous allez encore essayer de me « marier ». N'insiste pas, je suis un vrai célibataire et très heureux comme ça.

— Mais non, qu'est-ce que tu imagines ?

14 heures, au déjeuner

Pierre me présente à Hélène :

— Alex est journaliste à Bruxelles. Il vient d'arriver et il s'étonne d'entendre parler d'un justicier dans notre ville. Moi, je crois que

---

[19] Certains noms de professions n'ont pas encore de féminin, par tradition : professeur, écrivain, ... Mais c'est en train de changer.

[20] En France, les enfants vont au collège de onze à quinze ans, ils vont ensuite au lycée jusqu'à dix-huit ans.

ce sont des rumeurs, et toi, Hélène, qu'est-ce que tu penses de cette histoire ?

— Je ne sais pas, il y a peut-être dans notre ville quelqu'un qui veut modifier la tendance à la violence chez certains jeunes.

— Sérieusement, tu crois que les jeunes délinquants ont peur de Zorro ? demande Pierre.

— Je pense que beaucoup de jeunes délinquants ne comprennent pas la gravité de leurs actes, ils n'ont pas de limites, pas de modèles, pas de références. Alors, Zorro ou Batman, pourquoi pas ?

— Quoi, répond Pierre, tu penses vraiment que l'auto-défense est une solution ?

— Non, je ne sais pas, c'est compliqué tout ça... Mais changeons de conversation.

Apparemment, Hélène n'a pas envie de prolonger la conversation sur le thème de la délinquance, elle change radicalement de sujet.

— Vous vous mariez demain, Martine ? Comment s'organise la journée? Je suis sûre que tu commences par le coiffeur, non ? À quelle heure ?

— J'ai rendez-vous à 9 heures au salon de coiffure, mais le coiffeur me fera une coupe très simple.

— Je ne te crois pas ! Et le dîner, Pierre, dis-moi, qu'est-ce qu'il y a au menu ?

Elle veut tout savoir des détails pratiques mais moi, ça ne m'intéresse absolument pas.

Je ne sais pas si Pierre et Martine ont voulu me faire plaisir en invitant leur amie Hélène, mais je ne supporte pas cette femme qui parle tout le temps et pose des questions sans écouter les réponses. Quand l'occasion se présente, je trouve un prétexte pour sortir de la maison, juste après le déjeuner.

Vendredi 2 mai

Le mariage civil[21] a lieu à 11 heures. J'arrive avec vingt minutes de retard. Heureusement, personne ne me voit entrer parce que tout le monde regarde les deux époux qui se mettent la bague au doigt. Si je suis en retard c'est à cause d'une cravate : impossible de la retrouver ! Je l'ai achetée juste pour le mariage. Moi, je n'en porte jamais mais je suis sûr de l'avoir mise dans ma valise. Et au moment de sortir ce matin, impossible de la trouver.

Entre la cérémonie civile à la mairie[22] et la cérémonie religieuse, j'ai une heure pour faire ma petite enquête. Je veux savoir à quoi sert le masque que j'ai découvert dans une poubelle. J'entre dans un magasin d'articles de carnaval et je le montre au vendeur.

— Est-ce que vous vendez ce type de masque ?
— Avec un masque comme celui-là, vous ne ferez pas rire ! Je suis désolé, moi je vends des articles de carnaval, et ce masque est certainement un masque de protection pour des travailleurs manuels. Essayez chez Leroy Merlin[23].

J'entre dans un des supermarchés du bricolage. Je montre mon masque jaune à tous les vendeurs mais ils ne le reconnaissent pas.

J'arrive juste à temps à l'église, pour le mariage religieux. La cérémonie est très émouvante, même pour moi, un célibataire

[21] Il y a deux cérémonies, le mariage civil et le mariage religieux. En France, seule la cérémonie civile à la Mairie a des conséquences légales.
[22] Administration municipale.
[23] Grande surface qui propose à ses clients tout le matériel nécessaire pour le bricolage, les travaux dans la maison.

convaincu. Ensuite, la séance de photos a lieu à la gare de Perpignan. Très original ! Pour Salvador Dali, la gare de Perpignan était le centre du monde[24]. Pour Martine et Pierre, aussi !

20 heures

Nina et Jacky arrivent. Ils sont invités à la dernière partie du mariage : la soirée dansante. Ils sont en pleine forme, ils ont fait un fantastique reportage photo sur la princesse de Monaco.

— J'ai fait des photos extras, me dit Jacky ! J'ai photographié les plus belles attitudes de la Princesse pendant le gala de la Croix Rouge. Viens, je te les montre sur mon appareil digital.
— C'est vrai qu'elles sont excellentes. Monsieur Dulac sera content. Jacky, tu es vraiment un photographe sensationnel. Grâce à toi, je suis sûr que notre magazine va encore gagner un prix !

Pas de chance, nous sommes à la même table qu'Hélène, l'amie de Pierre. Je présente Nina et Jacky à Hélène. Et comme d'habitude, chaque fois qu'on lui présente une jolie femme, Jacky tombe immédiatement amoureux. Je reste donc seul avec Nina. Et pendant que Jacky fait son éternel numéro de séduction, j'explique à Nina les choses étonnantes qui se passent à Perpignan.

— L'ange gardien est déjà apparu quatre fois, et chaque fois il est arrivé juste au bon moment pour aider une personne victime d'une agression.

---

[24] Dali, dans un de ses délires d'artiste, a accordé une valeur symbolique et particulière à la gare de Perpignan. Cette gare banale était devenue pour lui le centre du monde.

— Tu es sûr que ce n'est pas une blague ?

— J'en suis sûr, j'ai parlé à différentes personnes, j'ai aussi interrogé une personne qui a été agressée. Et surtout, j'ai trouvé le masque, le masque de l'ange gardien.

— Et qu'est-ce que tu veux faire de ce masque ?

— C'est une piste ! Si vous êtes d'accord, Jacky et toi, si vous acceptez de m'aider, je voudrais faire un reportage sur cet ange, c'est un fait de société extraordinaire ! Je suis sûr que monsieur Dulac sera enchanté de mon sujet : « Un nouveau Zorro ! Qui est le justicier de Perpignan ? »

— OK, en principe, on doit être à Bruxelles, lundi à neuf heures, ça nous laisse très peu de temps, mais moi aussi je pense que c'est un bon sujet de reportage. Alors, où est-ce qu'il est, ce masque ?

— Il est chez ma sœur. Je me suis informé dans les magasins d'articles de le carnaval, dans les magasins de bricolage, et ça ne correspond à rien.

— Tu as essayé un magasin d'articles pour les artistes peintres ?

— Tu as une idée ?

— Non, seulement une intuition.

— Bon, d'accord Nina. Demain, on peut aller s'informer chez les fournisseurs de matériel artistique.

Je passe le reste de la soirée à parler avec les nouveaux mariés et leurs invités. L'ambiance de la fête est excellente mais je suis fatigué et je quitte la réception plus tôt que les autres. Je rentre à l'hôtel d'Aragon à pied. L'air est doux, il fait bon. J'aime les villes du sud !

Samedi 3 mai

9 heures, le petit-déjeuner. Je frappe à la porte de Jacky :

— Jacky, tu dors encore ? Tu ne te lèves pas ce matin ?

Il me répond, fâché :

— Eh ! Je suis en vacances, hein. Laisse-moi dormir !

Je rencontre Nina dans le hall de l'hôtel :

— T'as[25] bien dormi ?
— Oui, très bien, et toi ?
— Pas mal !
— Et Jacky, il vient ?
— Jacky ne veut pas se lever. Il dit qu'il est en vacances.
— Moi, j'ai envie de travailler, je pense que tu as un bon sujet de reportage avec ton ange.
— Merci, mais, dis-moi, est-ce que tu as parlé avec Jacky de l'Ange ?
— Non, je n'ai pas eu le temps. À mon avis, il a d'autres priorités à Perpignan.
— Hélène ?
— Je crois bien.
— C'est incroyable, il rencontre une femme, il parle quelques minutes avec elle et « boum », il est amoureux.
— Ils ont parlé toute la soirée ensemble, hier !

---

[25] Familier : « tu as ».

Le petit-déjeuner est un buffet : des fruits, des céréales, des croissants, des morceaux de baguette avec de la confiture. Puis, il y a aussi des œufs, du fromage et de la charcuterie. Moi, le petit-déjeuner, j'adore ça, quand c'est à l'hôtel !

— J'ai vérifié, dit Nina, il y a cinq magasins où on vend des fournitures pour les artistes. On y va ?
— D'accord, allons-y.

Rien dans les premiers magasins où nous entrons : ils ne vendent pas ce type de matériel. Dans le troisième magasin, une dame nous reçoit gentiment.

— Vous vendez des masques comme celui-ci, demande Nina ?
— Non, je regrette.
— Vous savez à quoi ça sert ?
— Oui, certains peintres l'utilisent pour se protéger le visage quand ils travaillent.
— Il faut se protéger le visage quand on peint ?
— Parfois, si on utilise des matériaux dangereux.
— Vous savez où on peut trouver ces masques ?
— Allez voir chez Artopic, c'est le seul magasin à Perpignan qui vend ces masques.

Artopic semble être notre dernière chance.

— Bonjour !
— Bonjour, est-ce que vous vendez des masques comme celui-ci ?
— Oui, mais justement je crois qu'il n'y en a pas en stock.

La vendeuse tape la référence du masque sur son ordinateur. Elle vérifie quelque chose.

— Effectivement, nous n'en avons pas, mais si vous pouvez attendre jusqu'à mardi matin, il y a quatre personnes qui ont commandé des masques comme celui-ci.

— Trop tard. Nous repartons lundi matin. Mais, est-ce que vous pouvez nous dire qui sont ces autres personnes ?

— Pourquoi ?

La vendeuse trouve la question étrange. Nina change immédiatement de conversation.

— Je voudrais rencontrer des artistes qui travaillent les mêmes techniques que moi, dit Nina, mais si vous ne voulez pas, ce n'est pas grave, ça n'a vraiment pas d'importance... Vous êtes peintre vous-même ?

— Oui, sinon je ne pourrais pas conseiller mes clients.

À un moment où la vendeuse ne regarde pas, Nina me fait un signe, le geste de prendre une photo. Elle continue à parler à la vendeuse pour la distraire :

— Vous connaissez cette technique : mélanger des couleurs acryliques avec des pigments pour la peinture à l'huile ?

— Ah non, expliquez-moi.

— Quelles marques de pigments avez-vous ?

Nina et la vendeuse continuent à parler de techniques de peinture. Elles sont très occupées et la vendeuse ne voit pas que je m'approche de son ordinateur. Discrètement, je lis les noms des clients qui ont commandé le masque, je photographie rapidement l'écran de l'ordinateur avec mon Evsin R1, un petit appareil numérique simple et discret. Ensuite nous sortons du magasin.

— Nina, je t'admire. Tu es vraiment fantastique ! Tu trouves toujours une solution. Et quelle comédienne ! La peinture acrylique, comment peux-tu inventer des choses pareilles ?

— Je n'invente rien, ça m'intéresse vraiment.

— Ah bon ?

Parfois je me sens intimidé avec Nina. Mais je ne lui montre jamais qu'elle m'impressionne. Moi aussi je porte un masque, mais je ne suis pas un ange.

Nous allons déjeuner tous les deux, je propose un snack bar où on vend des pitas[26] mais Nina n'est pas d'accord.

— Voyons Nina, on n'a pas besoin de s'asseoir, on peut manger debout.

— Tu es fou ! Pas question, si tu veux rester en bonne santé, tu dois bien te nourrir et t'offrir des pauses.

Nous entrons donc dans un café-restaurant où on nous sert des sandwichs qui sont d'authentiques œuvres d'art, avec du fromage de chèvre, des raisins secs chauffés légèrement, des salades de toutes les couleurs. Tout est beau et bon.

— Nina, tu es vraiment une artiste !

— Et toi, tu as de mauvaises habitudes. Tu es sûr que ça te convient d'être célibataire ? Moi, je suis sûre que tu as besoin d'une femme à tes côtés.

— Moi ? Jamais ! Je suis célibataire et je ne veux pas changer de vie. J'aime la liberté, tu comprends, Nina ?

— Après tout, tu as raison, tu fais ce que tu veux.

[26] Cuisine du Proche-Orient : galettes fourrées le plus souvent avec de la viande de mouton.

13

Au travail ! Le premier nom sur la liste, c'est dans le centre de Perpignan, un certain Legrand ; on sonne à la porte. Il nous invite à monter. C'est au troisième étage.

— Bonjour monsieur Legrand, nous sommes journalistes et nous interviewons des artistes de Perpignan. Nous voudrions vous poser quelques questions.
— D'accord. Je ne vois pas beaucoup de monde ces jours-ci, je suis content d'avoir de la visite.

Il nous accueille gentiment dans son appartement très chic. Il y a des meubles de grande valeur. C'est un homme qui a environ soixante-cinq ans, il est un peu gros et se déplace difficilement.

— Vous voyez, je dois faire attention, je marche difficilement, c'est parce que je suis tombé dans l'escalier. Je suis seul mais j'ai de la chance, la concierge est très gentille, elle va au supermarché et elle fait les courses pour moi puis elle me les apporte.
— Vous êtes tombé quand ?
— Il y a environ un mois.

Nina me regarde. Ce n'est pas l'Ange. Inutile de perdre notre temps ici. Il faut trouver un prétexte pour partir et je lui pose une question :

— Qu'est-ce que vous peignez, monsieur Legrand ? Nous pouvons voir ?
— Bien sûr, suivez-moi ! Regardez, voilà ! C'est ici que se trouve mon atelier.

— Ah ! Vous faites des paysages. C'est très beau ce que vous faites, mais pour ce reportage nous nous intéressons seulement aux peintres abstraits ! Désolé monsieur Legrand, nous n'allons pas vous déranger plus longtemps.

— Mais vous ne me dérangez pas. Au contraire. Je ne reçois jamais de visite. Restez encore un peu !

— Je suis désolée mais nous devons partir, confirme Nina.

— Bon, bon, c'est comme vous voulez.

Legrand n'est probablement pas le justicier que nous cherchons, mais pour être sûrs, en descendant, nous vérifions si Legrand dit la vérité. Nous sonnons chez la concierge.

— Bonjour, nous sommes venus voir M. Legrand. Heureusement que vous êtes là et que vous vous occupez de lui depuis une semaine.

— Un mois ! Il est tombé il y a un mois. Pauvre monsieur Legrand, il est si gentil. Il est tombé dans l'escalier juste devant moi. Ça s'est passé si vite, je n'ai pas pu l'aider. Alors maintenant qu'il ne peut pas sortir de chez lui, je l'aide comme je peux, et…

— Bien, bien, au revoir, madame. Et merci de vous occuper si bien de lui !

Nina se tourne vers moi :

— Oh là là, quelle bavarde ! Elle va nous raconter toute sa vie si on la laisse parler !

Nous sommes à l'extérieur de la ville, dans un petit village, sur la route de Céret.

— Tu es sûr qu'il habite ici, le deuxième artiste ?

— Ben, oui. Si l'adresse est correcte, il habite dans cette petite église.

— Impossible !

— C'est l'unique possibilité, regarde la carte.

— On peut sonner.

— Bonjour, excusez-nous de vous déranger, nous cherchons monsieur Lebrun.

— C'est moi.

— Vous voulez dire que vous habitez ici ?

— Oui, je suis le propriétaire de l'église. Qu'est-ce que je peux faire pour vous ?

— Nous sommes journalistes et nous voulons interviewer des peintres de la région.

— Entrez.

Grosse surprise, à l'intérieur ce n'est pas une église, c'est un splendide appartement duplex avec un énorme atelier de peinture, et des fresques gigantesques.

— Vous êtes surpris, n'est-ce pas ? Vous voyez, j'ai acheté cette église abandonnée et je l'ai restaurée. Pour un artiste, c'est fantastique, je suis toujours inspiré : l'inspiration divine, ah ah ah !

— Vous utilisez une technique particulière, je vois. Vous mélangez la peinture et le plâtre, n'est-ce pas ?

— Oui, entre autres, je travaille en trois dimensions.

— Et vous utilisez un masque pour vous protéger le visage ?

— En effet, j'utilise ce masque, là, sur la table.

Je tente de le mettre en difficulté.

— Vous vous intéressez aux anges, dans vos fresques monsieur Lebrun ?

— Non, moi je fais de l'art abstrait, je ne peins pas de figures, pas même des figures d'ange. Je vis dans une église mais je ne crois ni aux anges ni aux démons, ah ah ah !

Pas d'expression de malaise, pas de regard interrogateur chez monsieur Lebrun. Si c'est lui l'Ange, c'est un excellent menteur.

— C'est dommage, nous faisons un reportage sur les peintres paysagistes. Ce n'est pas votre style et nous ne voulons pas vous déranger. Merci de votre accueil.
— Ah, il n'y a pas de quoi. Revenez quand vous voulez.

Nous repartons en direction de Perpignan.

— Qu'est-ce que tu en penses, Alex ?
— Difficile à dire. C'est peut-être un excellent menteur. Et il possède différents masques.

Le troisième peintre sur la liste habite tout près de la gare de Perpignan. Je sonne. Pas de réponse. Une voisine me voit et m'appelle :

— Eh ! Si vous cherchez Capitan, l'artiste peintre, il est parti.
— Depuis longtemps ?
— Ça fait un mois, comme chaque année, il organise des ateliers de peinture dans les Cévennes, à Anduze.
— Merci.
— Tu as le temps d'aller dans les Cévennes, à trois cents kilomètres d'ici pour interviewer notre troisième artiste, Alex ?
— Non !

— Alors nos affaires se compliquent, parce que les deux derniers noms sur ma liste sont des noms de femmes.

— OK, on verra demain. Moi, je voudrais avoir une autre conversation avec le propriétaire de l'église. Mais il est tard aujourd'hui.

— Qu'est-ce que tu vas faire ce soir, Alex ? Moi, je vais voir un combat de *kick boxing* avec Jacky, tu viens aussi ?

— Non, tu sais bien que je n'aime pas la violence. Moi, ce soir, je continue mon enquête.

En fait, je déteste le *kick boxing*, surtout parce que Nina risque sa vie en pratiquant ce sport violent.

Samedi soir

Je retourne au café où j'ai eu mon meilleur contact. En chemin, je reçois un appel de Dulac sur mon téléphone portable :

— Alex, vous avez entendu parler d'un mystérieux ange gardien à Perpignan ? Je me dis que comme vous êtes là, vous pouvez...

— Oui, monsieur Dulac, depuis jeudi j'essaie de clarifier cette histoire.

— Vous pouvez rester plus longtemps à Perpignan, si c'est nécessaire. Mais faites le maximum, essayez d'identifier ce justicier avant les autres.

— Écoutez, si la presse commence à en parler, l'Ange va arrêter de se montrer. C'est sûr ! Je pense que je vais prendre mon avion pour Bruxelles lundi, avec Nina et Jacky. C'est inutile de rester à Perpignan plus longtemps !

— Alex, je vous donne plus de temps et vous ne voulez pas essayer de découvrir l'identité de ce justicier : vous êtes fou ?

— Bon, laissez-moi réfléchir à votre proposition.

Le sympathique patron du bar vient vers moi.

— Vous voulez dîner ?
— Seulement une salade.
— Vous n'avez pas l'air de bonne humeur.
— C'est vrai, je cherche l'ange gardien, j'ai trouvé son masque, mais lui, je ne l'ai pas trouvé. Je suis sûr que demain il y aura d'autres journalistes ici, la police cherchera aussi. L'Ange ne sortira plus.

Après le dîner, je sors, je marche dans le centre de la ville, je passe de nouveau à côté du centre commercial, je marche le long de la rivière. C'est vraiment très joli, Perpignan.

Soudain j'entends des cris, des menaces. Je regarde et je vois qu'un jeune homme est poursuivi par d'autres jeunes. Il s'arrête au bord de la rivière et leur dit :

— Si vous approchez, je la jette dans la rivière.
— Si tu jettes la came[27], on te tue.

C'est mon jour de chance : l'Ange apparaît derrière eux, avec sa cape. Il ne porte pas de masque mais un foulard pour se dissimuler le visage. Sans dire un mot, il fait un geste pour que le jeune homme lui donne le paquet. Le jeune homme obéit à l'ordre de l'Ange, mais les voyous, eux, s'approchent de l'Ange pour l'attaquer. L'Ange évite toutes les attaques et, grâce à quelques gestes acrobatiques très efficaces, il décourage définitivement les agresseurs qui préfèrent s'en aller.

[27] Familier : drogue.

Je m'approche à mon tour, l'Ange me voit et après une seconde d'hésitation, il se met à courir vers le vieux quartier. J'essaie de le suivre mais je ne suis pas sportif. J'arrive sur une petite place et je ne peux plus respirer. On n'entend rien, il ne court plus. L'Ange est entré dans une des maisons de la place, mais laquelle ? Il y a une porte éclairée ; c'est un hammam[28], je crois qu'il est entré dans le hammam. J'ouvre la porte. Je vois quelqu'un derrière un comptoir et je m'adresse à lui :

— Est-ce que quelqu'un est entré avant moi ?

— C'est possible, je ne suis pas toujours à la réception.

— Je cherche un homme masqué.

— Vous savez, dans un hammam, on ne peut pas porter de masque.

— Je peux entrer ?

— Bien sûr, aujourd'hui, c'est le jour des hommes. Mais vous devez respecter les coutumes, vous devez vous déshabiller dans le vestiaire avant de passer dans le bain de vapeur.

— Mais enfin, répondez-moi. Est-ce que quelqu'un est entré ici il y a quelques minutes ?

— C'est possible, vous pouvez entrer aussi, l'entrée est libre.

L'homme de l'accueil s'amuse, il rit. Pas moyen de savoir. Je suis obligé de faire ce qu'il dit. Je passe au vestiaire et, couvert d'une serviette de bains, j'entre dans la pièce réservée au bain de vapeur. Il y a deux hommes, très gros : pas d'Ange ici ! Et dans le sauna, il y a un vieux monsieur, ce n'est pas lui non plus.

Dans le salon de thé, quatre hommes se parlent tranquillement, aucun n'a la silhouette de l'Ange. De toutes façons, je ne peux pas les interroger, la situation est absurde.

Je refuse le thé qu'on me propose et, furieux, je repasse à la réception.

[28] Bain turc.

— Monsieur, me dit l'homme de l'accueil très gentiment, vous avez l'air de mauvaise humeur, stressé. Je vous conseille de venir plus souvent au hammam : c'est très bon pour se relaxer.

— Merci du conseil, au revoir.

J'ai manqué l'Ange, c'est impardonnable !

Dimanche

9 heures, petit-déjeuner avec mes collègues.

— Jacky, tu as l'air en forme !

— Alex, toi, tu n'as pas bonne mine.

— Je n'ai pas dormi, ou presque : Nina, figure-toi que j'ai vu l'Ange hier soir.

— Quoi ? Raconte-nous.

— Je marchais le long de la rivière, des voyous ont attaqué un jeune type qui portait un paquet. Ils voulaient le paquet, c'était de la drogue. Ils ont dit « passe la came ». À ce moment-là, l'Ange est arrivé et il a pris le paquet. Les délinquants ont eu peur et sont partis.

— Et toi ? Qu'est-ce que tu as fait ?

— Quand je me suis approché, l'Ange est parti, lui aussi, mais comme il court plus vite que moi, je l'ai perdu dans la vieille ville. J'ai pensé le retrouver dans un hammam, mais je suis entré pour rien. Je ne l'ai pas retrouvé, je ne l'ai pas identifié.

— Pas de chance, Alex !

— Evidemment, j'étais seul ! Jacky, pourquoi es-tu invisible depuis hier ?

— Désolé, Alex, mais tu sais, Nina et moi, on a aussi travaillé. Je savais pas que tu avais besoin de moi.

Je me tais, je ne dis rien, je n'ai pas envie de parler. Nina essaie de changer l'ambiance :

— Jacky et moi, on est allés au championnat de *kick boxing*.
— Intéressant ?
— Super. Tu veux voir les photos de Jacky ? Elles sont excellentes, comme toujours !

Jacky rougit un peu, à cause du compliment. Je regarde les photos sans vraiment faire attention. Le *kick boxing* ne m'intéresse pas. Mais soudain une photo attire mon attention, je reconnais un mouvement que j'ai vu hier soir, quand l'Ange a neutralisé ses adversaires.

— Nina, est-ce que tu sais faire aussi ces mouvements-là ?
— Oui, ce sont des gestes très classiques, et surtout très efficaces. Pourquoi ? Tu t'intéresses au *kick boxing* maintenant ? Tu veux une démonstration ?

Nina se lève pour me faire une démonstration : c'est comme sur la photo, ce sont les mêmes mouvements.

— Mais alors, Nina, je viens de comprendre quelque chose de très important : l'Ange peut aussi être une femme. Nous avons pensé que c'était un homme et nous avons oublié les deux femmes sur la liste.
— Woaw ! Bon, récapitulons, dit Nina : l'Ange peut être une femme, fait de la peinture et utilise un masque pour se protéger. Et surtout, il (ou elle) fait probablement du *kick boxing*.

Jacky se redresse soudain :

— Attendez, attendez, je crois que j'ai quelquechose qui va vous intéresser.

— Ah oui ?

— Pendant que vous avez fait le tour des artistes de Perpignan, moi, j'ai passé la journée d'hier avec une artiste. Une femme fantastique : belle, intelligente, sensible...

— Tu connais une artiste à Perpignan, toi ?

— Hélène !

— Qui ? Hélène, l'amie de mon beau-frère, la prof[29] d'anglais ?

— Exactement.

— Bon, et alors ?

— Elle n'est pas seulement prof d'anglais, elle fait aussi de la peinture. Enfin, je ne sais pas si on peut appeler ça de la « peinture ». Elle utilise des matériaux inhabituels, comme de la terre, de la colle, du papier journal. Moi, c'est pas mon style, mais...

— Mais quoi ?

— Mais en plus, j'ai vu des photos de combats de *kick boxing* dans son salon.

— Dis-moi où elle habite, vite !

— À côté de la place Saint Joseph. Attends, j'ai un plan de la ville. Voilà, c'est dans cette rue.

— Mais, c'est juste à côté du hammam ! Ça alors[30] ! Tu veux dire qu'Hélène serait l'ange gardien !

— Oui, c'est ce que je pense.

— Qu'est-ce qu'on fait, demande Nina ?

— On va chez elle et on lui demande si c'est vrai, propose Jacky.

— Elle ne voudra peut-être pas nous dire la vérité ?

— Écoutez, dit Nina, allons tous les trois chez elle. Comme Jacky connaît son adresse, elle ne sera pas surprise de nous voir. Et quand nous serons là, vous me laisserez faire...

— Ah ! et qu'est-ce que tu vas faire ?

— C'est une surprise !

---

[29] Familier : professeur.
[30] Expression pour marquer la surprise.

Nous quittons l'hôtel tous les trois, et nous marchons vers la place Saint Joseph. Nous arrivons devant la maison d'Hélène. Elle nous ouvre la porte presque immédiatement.

— Ah ? C'est vous ? dit-elle, étonnée.
— Bonjour Hélène, on vient te dire au revoir.
— Quand partez-vous ?
— Demain matin très tôt.
— Vous avez déjà pris votre petit-déjeuner ? Je vous offre un café ?
— Un café ? Avec plaisir ! dit Jacky.

Pendant qu'Hélène prépare le café, Nina s'approche des photos de combats de *kick boxing*, et elle les observe attentivement. Ensuite, Hélène arrive de la cuisine avec le café et elle pose le plateau sur la table du salon.

— Tu fais du *kick boxing*, Hélène ?, demande Nina.
— Euh, non, ce sont des photos d'amis..., répond Hélène, un peu maladroitement.

Tout à coup, Nina fait un mouvement vers Hélène, simulant une attaque, et Hélène se défend spontanément avec un autre mouvement de *kick boxing*.

— Excuse-moi Hélène, c'était juste pour vérifier quelque chose, dit Nina. Maintenant je sais que nous faisons toutes les deux le même sport.
— Aïe, j'ai l'impression que vous n'êtes pas venus ici seulement pour me dire au revoir...

— Exact ! Nous cherchons l'ange gardien, et je crois que nous l'avons trouvé, pas vrai ?

— Heu[31], eh bien oui, c'est vrai... Mais comment... ?

— Nous sommes journalistes, ne l'oublie pas !

— Vous voulez du sucre, vous prenez du lait avec le café ? Servez-vous, tout est là. Alors, les journalistes, vous ne dites rien ?

— Heu... Tu ne penses pas que c'est plutôt à toi de parler ?

— Bon, d'accord, je vais tout vous expliquer... Vous savez que je suis prof d'anglais, n'est-ce pas ? Vous savez aussi que dans l'école où je travaille, il y a beaucoup de violence. Eh bien, un jour, j'ai entendu une conversation entre jeunes étudiants de mon école. Ils préparaient une agression. Que faire ? Appeler la police ou leur faire peur. J'ai beaucoup réfléchi.

— Et tu as décidé de leur faire peur...

— C'est ça ! Je fais du *kick boxing* depuis sept ans et j'ai pensé que c'était une arme parfaite pour faire très peur sans faire trop mal.

— Et, comment sais-tu le moment et le lieu où les délinquants vont commettre les agressions ?

— Vous voyez la fenêtre, là-bas ? Ouvrez-la et regardez vers le bas. Vous voyez la petite cour ? C'est là que les délinquants se réunissent pour préparer leurs agressions. Bien sûr, ils ne s'imaginent absolument pas que quelqu'un peut les entendre.

— Pourquoi ?

— Parce qu'il y a longtemps que ce bâtiment est inhabité. Ça fait seulement un mois que je me suis installée ici et pour l'instant je suis toute seule dans l'immeuble.

— Tu ne penses pas que les délinquants vont finir par t'identifier, eux aussi ?

— Si, si. Il est temps d'arrêter. Heu... J'espère que vous n'allez pas parler de moi dans votre journal ?

---

[31] Interjection qui marque la difficulté à dire quelque chose.

— Qu'est-ce que vous en pensez, Jacky, Nina ?

— Moi, je trouve que ça fait un superbe reportage, dit Nina.

— Oui, mais Hélène aura des problèmes si on met son nom dans le journal, ajoute Jacky.

— À toi de décider, Alex, conclut Hélène !

Après la lecture

Chapitre 1

Vrai ou faux ?

	vrai	faux
Alex Leroc doit aller sur la côte méditerra-néenne pour interviewer une princesse.		
Alex Leroc n'a pas de voiture.		
Alex Leroc n'aime pas voyager en train.		
Alex Leroc va se lever tôt le jour du voyage.		
L'avion va décoller de Charleroi et va atterrir à Perpignan.		
Dulac donne un jour de congé supplémentaire à Alex Leroc.		

Chapitres 2 et 3

1. Où est-ce qu'Alex Leroc entend...

des informations sur la troisiè-me intervention de l'Ange.

A. Dans une boulangerie

des informations sur la pre-mière intervention de l'Ange.

que le justicier semble sorti
d'un poème.

B. Dans un bar

que les délinquants ont menacé
le justicier avec un couteau.

que le justicier semble sorti
d'un film.

C. Chez une fleuriste

que le justicier fait probablement du karaté.

qu'on commence à appeler le
justicier « l'ange gardien »

**2. Essayez de dessiner un plan pour arriver à l'hôtel
Aragon.**

Chapitre 4

Que répond Alex à l'hôtelier ? Reconstituez la conversation.

- Vous avez besoin de combien de chambres ?

○ ....

- Vos amis arrivent quand exactement ?

○ ....

- Vous partez quand ?

○ ....

- Quelle est votre profession ? Qu'est-ce que vous faites à Bruxelles ?

○ ....

- Vous vous intéressez à l'ange gardien ? C'est pour ça que vous êtes à Perpignan ?

○ ....

Chapitre 5

Cochez les cercles là où les informations sur Pierre, le beau-frère d'Alex, sont inexactes.

○ Il s'énerve parce que ses beaux-parents donnent trop de conseils.

○ Il ne sait pas quel âge a Alex.

○ Il croit que l'ange gardien n'existe pas.

○ Il suggère à Alex de lire des B.D. françaises.

○ Il pense qu'il faut augmenter le nombre de policiers à Perpignan.

Faites correspondre les éléments des deux colonnes avec des flèches pour reconstituer les actions d'Alex.

Je descends	cinquante mètres.
Je cherche	un masque.
Je sors	du parking.
Je marche	dans les poubelles.
Je trouve	par l'escalier.

Chapitre 7

Notez ce que vous savez d'Alex Leroc et d'Hélène. Faites un petit portrait des deux personnages. Pour le portrait d'Alex, vous pouvez aussi trouver des informations dans les chapitres précédents.

Alex Leroc

Hélène

Chapitre 8

Quelle est la bonne réponse ?

Alex arrive à la Mairie
- ◯ à onze heures.
- ◯ à onze heures vingt.
- ◯ à onze heures moins vingt.

Alex arrive en retard à la Mairie
- ◯ parce qu'il veut acheter une cravate pour l'offrir à Pierre.
- ◯ parce qu'il ne trouve pas sa nouvelle cravate.
- ◯ parce qu'il ne veut pas porter de cravate.

Alex entre dans divers magasins
- ◯ parce qu'il veut acheter un masque pour le mariage.
- ◯ parce qu'il veut confirmer que c'est un masque fabriqué de manière industrielle.
- ◯ parce qu'il veut savoir qui utilise ce genre de masques.

1. Vrai ou faux ?

	vrai	faux
Alex félicite Jacky pour son reportage à Monaco.		
L'Avis a déjà été primé pour la qualité de ses reportages photos.		
Alex sait qui est l'ange gardien.		
Nina n'accepte pas d'aider Alex. Elle n'a pas le temps.		
Alex quitte la fête parce qu'il est de mauvaise humeur.		
Nina a mieux dormi qu'Alex.		
Jacky a dormi moins longtemps qu'Alex.		

2. Nina fait attention à ce qu'elle mange, elle sait ce qui est bon pour la santé. Alex, lui, mange mal : il ne sait pas ce qu'est un petit-déjeuner équilibré. Regardez la composition du buffet et imaginez ce que Nina et Alex choisissent.

- du pain blanc
- du pain complet
- des morceaux de baguette
- du pain grillé
- des croissants au chocolat

avec
- de la confiture
- du miel
- du chocolat à tartiner

- des œufs
- du bacon
- du poisson
- de la charcuterie
- du fromage

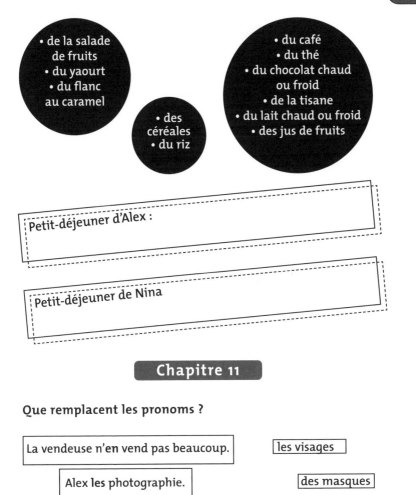

- de la salade de fruits
- du yaourt
- du flanc au caramel

- des céréales
- du riz

- du café
- du thé
- du chocolat chaud ou froid
- de la tisane
- du lait chaud ou froid
- des jus de fruits

Petit-déjeuner d'Alex :

Petit-déjeuner de Nina

Chapitre 11

Que remplacent les pronoms ?

| La vendeuse n'**en** vend pas beaucoup. | les visages |

| Alex **les** photographie. | des masques |

| Il faut **les** protéger contre les matières dangereuses. | les noms des clients |

| Nina et la vendeuse **en** parlent. | la question |

| La vendeuse **la** trouve étrange. | des techniques de peinture |

Que savez-vous de Nina ? Notez tout ce que vous savez
d'elle, vous pouvez aussi intégrer des informations
extraites de chapitres précédents.

Nina

Répondez aux questions ci-dessous.

- Pourquoi est-ce que Legrand ne peut pas être l'Ange ?

- Qu'est-ce qui confirme que Legrand dit la vérité ?

- Quels sont les points communs entre Legrand et la concierge ?

Tous les deux sont

pauvres	
bavards	
artistes	
gentils	

Vrai ou faux ?

	vrai	faux
L'église, c'est l'atelier de Lebrun, mais il n'habite pas là.		
Lebrun a acheté l'église pour la transformer en restaurant.		
Lebrun ne peint pas d'anges, ni de démons.		
Lebrun dit avoir de l'inspiration grâce à son église.		
Lebrun est de bonne humeur, il accueille gentiment les journalistes.		
Le troisième peintre, Capitan, habite dans une ancienne gare.		
Alex pense que Lebrun ne dit pas la vérité.		
Nina va participer à une compétition de *kick boxing* à Perpignan.		

Chapitre 16

Dulac, le patron de *L'Avis*, donne plus de temps à Alex. Alors, pourquoi est-ce qu'Alex n'est pas content ?

....

....

Chapitre 17

1. Que veulent les jeunes agresseurs ?

2. Pourquoi est-ce qu'Alex pense que l'Ange s'est arrêté ?
   Pourquoi est-ce qu'il entre dans le hammam ?

3. Donnez quelques caractéristiques de ce hammam.
   - Il faut...
   - On ne peut pas...
   - On doit...

Chapitre 19

Retrouvez les mots du texte qui correspondent aux mots en gras.

Les délinquants **ont paniqué** et sont partis.
Alex, **tu as l'air fatigué**, tu n'as pas dormi ?
Je regrette Alex, je ne savais pas que tu avais besoin de moi.
Nina fait des gestes de *kick boxing*, ce sont des **mouvements identiques**.
Tout à coup, une photo attire mon attention.

Conclusion

Placez les 10 mots dans l'article d'Alex Leroc

voler · délinquants · voleurs · témoins · attaquer · mouvements
agresseurs · sécurité · veste · victimes

Un nouveau Zorro !
Qui est le justicier de Perpignan ?

Depuis deux semaines, la petite ville de Perpignan vit sous la protection d'un personnage mystérieux. Cette petite ville du sud de la France semble très calme mais il y a des problèmes de ...., comme dans la plupart des villes françaises. Un personnage « de cinéma » veut affronter seul et à sa manière les délinquants qui commettent des agressions.

Tout commence il y a une dizaine de jours quand des voyous attaquent un jeune homme pour lui prendre sa .... en cuir. L'inconnu, un justicier avec un masque et une cape, vient à son secours et fait partir les agresseurs grâce à des .... de karaté. Quelques jours plus tard, juste au moment où une bande de délinquants va .... un employé municipal pour lui .... de l'argent, « Zorro » arrive et fait partir les voyous. Après quelques jours sans incident, un soir, à l'heure de fermeture d'un centre commercial, un homme se dirige vers sa voiture. Plusieurs .... s'approchent de lui pour lui voler son automobile, une BMW. L'« ange gardien » (c'est ainsi qu'on l'appelle à Perpignan) arrive juste à temps pour faire fuir les .... Samedi soir, un jeune homme marche le long de la rivière, il transporte un paquet. Soudain, d'autres jeunes, des délinquants, apparaissent pour lui prendre le paquet. Il contient probablement de la drogue parce que des .... entendent quelqu'un crier : « Si tu jettes la came, on te tue. » À nouveau, le mystérieux protecteur de Perpignan apparaît juste à temps pour prendre le paquet, faire fuir les .... et disparaître dans les petites rues de la vieille ville. Les différents témoins disent que cet individu masqué apparaît en une seconde, et disparaît immédiatement, sans laisser le temps aux agresseurs ou aux .... de lui parler. À Perpignan, les gens espèrent que personne ne va identifier leur protecteur. On les comprend. Est-ce que l'ange gardien va encore faire parler de lui, ou est-ce qu'il va se transformer en légende ? Personne ne le sait.

Solutions

Les solutions suivies du signe -💡- sont données à titre indicatif

Chapitre 1

Vrai ou faux ?

	vrai	faux
Alex Leroc doit aller sur la côte méditerranéenne pour interviewer une princesse.		X
Alex Leroc n'a pas de voiture.	X	
Alex Leroc n'aime pas voyager en train.		X
Alex Leroc va se lever tôt le jour du voyage.	X	
L'avion va décoller de Charleroi et va atterrir à Perpignan.		X
Dulac donne un jour de congé supplémentaire à Alex Leroc.	X	

Chapitres 2 et 3

1. Où est-ce qu'Alex Leroc entend...

des informations sur la troisième intervention de l'Ange. **A**	des informations sur la première intervention de l'Ange. **B**
que le justicier semble sorti d'un poème. **C**	que les délinquants ont menacé le justicier avec un couteau. **B**

| que le justicier semble sorti d'un film. **A** | que le justicier fait probablement du karaté. **B** |

| qu'on commence à appeler le justicier « l'ange gardien ». **A** |

Chapitre 4

Que répond Alex à l'hôtelier ? Reconstituez la conversation.

- Vous avez besoin de combien de chambres ?
- ○ **Trois chambres, j'ai besoin de trois chambres.**
- Vos amis arrivent quand exactement ?
- ○ **Vendredi soir.**
- Vous partez quand ?
- ○ **Lundi matin, très tôt.**
- Quelle est votre profession ? Qu'est-ce que vous faites à Bruxelles ?
- ○ **Je suis journaliste, je travaille pour un magazine.**
- Vous vous intéressez à l'ange gardien ? C'est pour ça que vous êtes à Perpignan ?
- ○ **Je suis ici pour le mariage de ma sœur, mais je m'intéresse beaucoup à l'Ange.**

Chapitre 5

Cochez les cercles là où les informations sur Pierre, le beau-frère d'Alex, sont inexactes.

( ) Il s'énerve parce que ses beaux-parents donnent trop de conseils.

(X) Il ne sait pas quel âge a Alex.

( ) Il croit que l'ange gardien n'existe pas.

(X) Il suggère à Alex de lire des B.D françaises.

(X) Il pense qu'il faut augmenter le nombre de policiers à Perpignan.

Chapitre 6

Faites correspondre les éléments des deux colonnes avec des flèches pour reconstituer les actions d'Alex.

Je descends par l'escalier.

Je cherche dans les poubelles.

Je sors du parking.

Je marche cinquante mètres.

Je trouve un masque.

Chapitre 7

Notez ce que vous savez d'Alex Leroc et d'Hélène. Faites un petit portrait des deux personnages. -ᄝ-

Alex Leroc
Il est français mais il travaille à Bruxelles. Il est journaliste à Bruxelles. Il travaille beaucoup. Son travail, c'est sa vie. Il est célibataire, il ne veut pas se marier. Il dit qu'il est heureux.

> **Hélène**
> Elle est professeur d'anglais à Perpignan. C'est une amie de Pierre. Elle est très jolie. Elle ne veut pas parler de la délinquance. Elle parle beaucoup, elle pose des questions sur le mariage et n'écoute pas les réponses.

Chapitre 8

Quelle est la bonne réponse ?

Alex arrive à la Mairie	à onze heures vingt
Alex arrive en retard à la Mairie	parce qu'il ne trouve pas sa nouvelle cravate.
Alex entre dans divers magasins	parce qu'il veut savoir qui utilise ce genre de masques

Chapitres 9 et 10

	vrai	faux
Alex félicite Jacky pour son reportage à Monaco.	X	
L'Avis a déjà été primé pour la qualité de ses reportages photos.	X	
Alex sait qui est l'ange gardien.		X
Nina n'accepte pas d'aider Alex. Elle n'a pas le temps.		X
Alex quitte la fête parce qu'il est de mauvaise humeur.		X
Nina a mieux dormi qu'Alex.	X	
Jacky a dormi moins longtemps qu'Alex.	X	

2. Nina fait attention à ce qu'elle mange, elle sait ce qui est bon pour la santé. Alex, lui, mange mal : il ne sait pas ce qu'est un petit-déjeuner équilibré. Regardez la composition du buffet et imaginez ce que Nina et Alex choisissent. -☝-

> Petit-déjeuner d'Alex : **Des morceaux de baguette avec du chocolat à tartiner, des croissants au chocolat, des œufs, du bacon, de la charcuterie, du riz. Du chocolat chaud. Du flanc au caramel...**

> Petit-déjeuner de Nina: **Du pain complet avec du miel, des céréales, du fromage. De la salade de fruits. De la tisane, des jus de fruits...**

Chapitre 11

Que remplacent les pronoms ?

La vendeuse n'en vend pas beaucoup.
des masques

Alex les photographie.
les noms des clients

Il faut les protéger contre les matières dangereuses.
les visages

Nina et la vendeuse en parlent.
des techniques de peinture

La vendeuse la trouve étrange.
la question

Que savez-vous de Nina ? Notez tout ce que vous savez d'elle, vous pouvez aussi intégrer des informations extraites de chapitres précédents. ·☇·

> Nina
> **Elle est journaliste, elle est très professionnelle, elle a toujours une solution, elle s'intéresse aux techniques de peinture, elle impressionne Alex. Elle fait attention à sa santé, elle mange de manière équilibrée. C'est une artiste : elle aime ce qui est beau et ce qui est bon.**

Chapitre 13

Répondez aux questions ci-dessous.

- Pourquoi est-ce que Legrand ne peut pas être l'Ange ?

  Parce qu'il est immobilisé depuis un mois à cause d'une chute

- Qu'est-ce qui confirme que Legrand dit la vérité ?

  Sa concierge a vu la chute et lui apporte les courses elle-même

- Quels sont les points communs entre Legrand et la concierge ?

Tous les deux sont

pauvres	
bavards	X
artistes	
gentils	X

60

Vrai ou faux ?

	Vrai	Faux
L'église, c'est l'atelier de Lebrun, mais il n'habite pas là.		X
Lebrun a acheté l'église pour la transformer en restaurant.		X
Lebrun ne peint pas d'anges, ni de démons.	X	
Lebrun dit avoir de l'inspiration grâce à son église.	X	
Lebrun est de bonne humeur, il accueille gentiment les journalistes.	X	
Le troisième peintre, Capitan, habite dans une ancienne gare.		X
Alex pense que Lebrun ne dit pas la vérité.	X	
Nina va participer à une compétition de *kick boxing* à Perpignan.		X

Chapitre 16

Dulac, le patron de *L'Avis*, donne plus de temps à Alex. Alors, pourquoi est-ce qu'Alex n'est pas content ?

> Parce qu'il pense que c'est trop tard. Si la presse commence à s'intéresser à l'Ange, celui-ci ne va probablement plus se montrer.

Chapitre 17

1. Ils veulent un paquet, probablement de la drogue.
2. Parce qu'il ne l'entend plus courir, il n'y a plus de bruit.
3.
   - Il faut **se déshabiller dans le vestiaire**.
   - On ne peut pas **porter de masque**.
   - On doit **respecter les coutumes**.

Chapitre 19

Retrouvez les mots du texte qui correspondent aux mots en gras.

Les délinquants **ont paniqué** et sont partis. → **ont eu peur**

Alex, **tu as l'air fatigué**, tu n'as pas dormi ? → **tu n'as pas bonne mine**

Je regrette Alex, je ne savais pas que tu avais besoin de moi. → **Désolé**

Nina fait des gestes de *kick boxing*, ce sont des **mouvements identiques**.
→ **les mêmes mouvements**

Soudain, une photo attire mon attention. → **Tout à coup**

Un nouveau Zorro !
Qui est le justicier de Perpignan ?

Depuis deux semaines, la petite ville de Perpignan vit sous la protection d'un personnage mystérieux. Cette petite ville du sud de la France semble très calme mais il y a des problèmes de **sécurité**, comme dans la plupart des villes françaises. Un personnage « de cinéma » veut affronter seul et à sa manière les délinquants qui commettent des agressions.

Tout commence il y a une dizaine de jours quand des voyous attaquent un jeune homme pour lui prendre sa **veste** en cuir. L'inconnu, un justicier avec un masque et une cape, vient à son secours et fait partir les agresseurs grâce à des **mouvements** de karaté. Quelques jours plus tard, juste au moment où une bande de délinquants va **attaquer** un employé municipal pour lui **voler** de l'argent, « Zorro » arrive et fait partir les voyous. Après quelques jours sans incident, un soir, à l'heure de fermeture d'un centre commercial, un homme se dirige vers sa voiture. Plusieurs **délinquants** s'approchent de lui pour lui voler son automobile, une BMW. L'« ange gardien » (c'est ainsi qu'on l'appelle à Perpignan) arrive juste à temps pour faire fuir les **voleurs**. Samedi soir, un jeune homme marche le long de la rivière, il transporte un paquet. Soudain, d'autres jeunes, des délinquants, apparaissent pour lui prendre le paquet. Il contient probablement de la drogue parce que des **témoins** entendent quelqu'un crier : « Si tu jettes la came, on te tue. » À nouveau, le mystérieux protecteur de Perpignan apparaît juste à temps pour prendre le paquet, faire fuir les **agresseurs** et disparaître dans les petites rues de la vieille ville. Les différents témoins disent que cet individu masqué apparaît en une seconde, et disparaît immédiatement, sans laisser le temps aux agresseurs ou aux **victimes** de lui parler. À Perpignan, les gens espèrent que personne ne va identifier leur protecteur. On les comprend. Est-ce que l'ange gardien va encore faire parler de lui, ou est-ce qu'il va se transformer en légende ? Personne ne le sait.